KB140648

국립생태원은 한반도 생태계를 비롯하여 열대, 사막, 지중해, 온대, 극지 등 세계 5대 기후와 그곳에서 서식하는 동식물을 한눈에 관찰하고 체험할 수 있는 생태 연구·교육·전시 종합 기관입니다. 국립생태원 출판부(NIE PRESS)는 소중한 생태 정보와 이야기를 엮어 유아부터 성인, 전문가에 이르는 다양한 독자를 위한 책을 만들고 있습니다.

정보 제공 및 내용 감수에 참여한 **국립생태원 연구원**
권용수, 박정수, 이태우

에코스토리 07 국립생태원이 들려주는 **생물 다양성 협력** 이야기

와글와글 세계 어린이 환경 뉴스

발행일 2017년 9월 1일 초판 1쇄 발행
2022년 8월 16일 초판 3쇄 발행
글 현재웅 | **본문그림** 송효정 | **부록그림** 박소영

발행인 조도순
책임편집 김웅식 | **편집** 유연봉 이규 천광일 전세욱 | **구성 · 진행** 강승연 정재윤 조현민
아트디렉터 신은경 | **디자인** 디자인아이(양신영 진선미) | **사진** Shutterstock 연합뉴스
발행처 국립생태원 출판부 | **신고번호** 제458-2015-000002호(2015년 7월 17일)
주소 충남 서천군 마서면 금강로 1210 / www.nie.re.kr
문의 041-950-5999 / press@nie.re.kr

ISBN 979-11-88154-09-8 74400
979-11-88154-02-9(세트)

07 생물 다양성 협력

와글와글
세계 어린이 환경 뉴스

글 현재웅 그림 송효정 감수 국립생태원

"어린이 여러분, 안녕하세요?
세계 어린이 환경 뉴스의 김희찬입니다."
오후 2시를 알리는 음악과 함께 뉴스가 시작되었어요.
"오늘은 강원도 평창에서 '생물 다양성 협약'
당사국 총회가 열리는 날입니다.
생물 다양성이란 생물의 종 수가 다양하다는 것을 말하는데요,
생물 다양성은 지구에 존재하는 생명 전체를 뜻한다고 할 만큼
사람이 살아가는 데 있어 무척 중요합니다.
그런데 오래전부터 생물 다양성이 파괴되고 있어 문제입니다.
오늘은 평창에서 열리는 생물 다양성 협약 총회 현장을 연결하기 전에
생물 다양성을 파괴하는 전 세계 환경 문제를 짚어 보겠습니다."

가장 먼저 이집트의
까밀라 기자가 소식을
전하겠습니다.
대한민국 / 김희찬 앵커

세계 어린이 환경 뉴스

미국

그린란드

이집트

브라질

평창

까밀라 기자,
나와 주세요!
안녕하십니까?
지금 아프리카는
사막화 문제로
골치를 앓고 있습니다.
이집트 / 까밀라 기자

“특히 사헬 지역이라 불리는 사하라 사막의
남쪽 가장자리 지역은 인구가 늘고
가축을 지나치게 많이 길러 초원이 못 쓰게 되면서
사막화가 빠르게 진행되고 있습니다.”
“정말 큰 문제네요. 피해는 어느 정도인가요?”
김희찬 앵커가 물었어요.
“대부분의 농업은 강수량이 중요한데
가뭄이 계속되어 더는 농사를 지을 수 없고,
가축이 죽어 나가서 사람들 역시 식량이 부족하게 되었습니다.
해마다 서울만 한 땅 열두 개 정도가 사막으로 변하고 있어
이집트 역시 사막화의 위험에서 안전할 수 없게 되었습니다.”

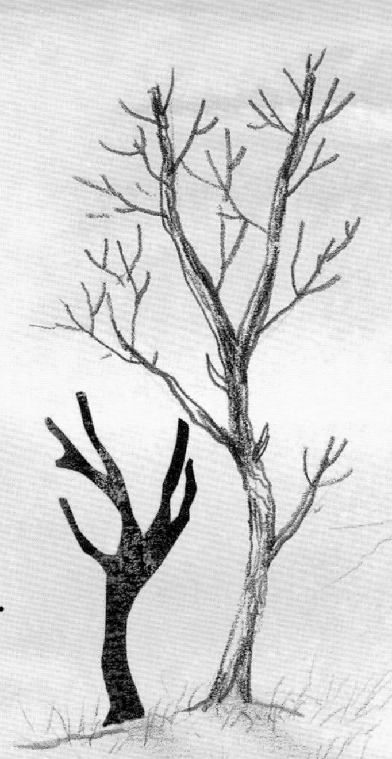

사막과 사막화는 어떻게 다를까요?

사막은 날씨가 더워 증발하는 물의 양보다 내리는 비의 양이 적어 땅이 모래로 바뀌어 아무것도 살지 못하게 된 곳으로, 지구 고유의 환경이에요. 그러나 사막화는 원래 사막이 아니었던 땅이 지구 온난화 때문에 가뭄이 계속되거나, 사람들이 땅을 함부로 써서 생긴 환경 문제랍니다.

"사막화가 식량 부족까지 가져올 수 있다니 정말 심각하군요.
그렇다면 사람들은 사막화를 막기 위해 어떤 노력을 하고 있습니까?"
앵커의 말에 까밀라 기자가 지도를 보여 주며 말했어요.
"여기 아프리카 대륙에서 주황색으로 칠한 곳이
바로 사막화가 가장 심한 사헬 지역입니다.
유엔(UN)은 1994년 '유엔 사막화 방지 협약'을 맺어
사막화로 인해 어려움을 겪고 있는 나라를 도와주고,
세계 여러 기업은 사헬 지역의 사막화를 막기 위해 나무를 심는
'사헬 그린벨트 계획'을 시도하고 있습니다."

사막화를 막기 위해
세계 여러 나라가
노력하고 있습니다.
사막화의 속도를
늦출 수 있었으면 좋겠네요.
까밀라 기자,
수고 많았습니다.

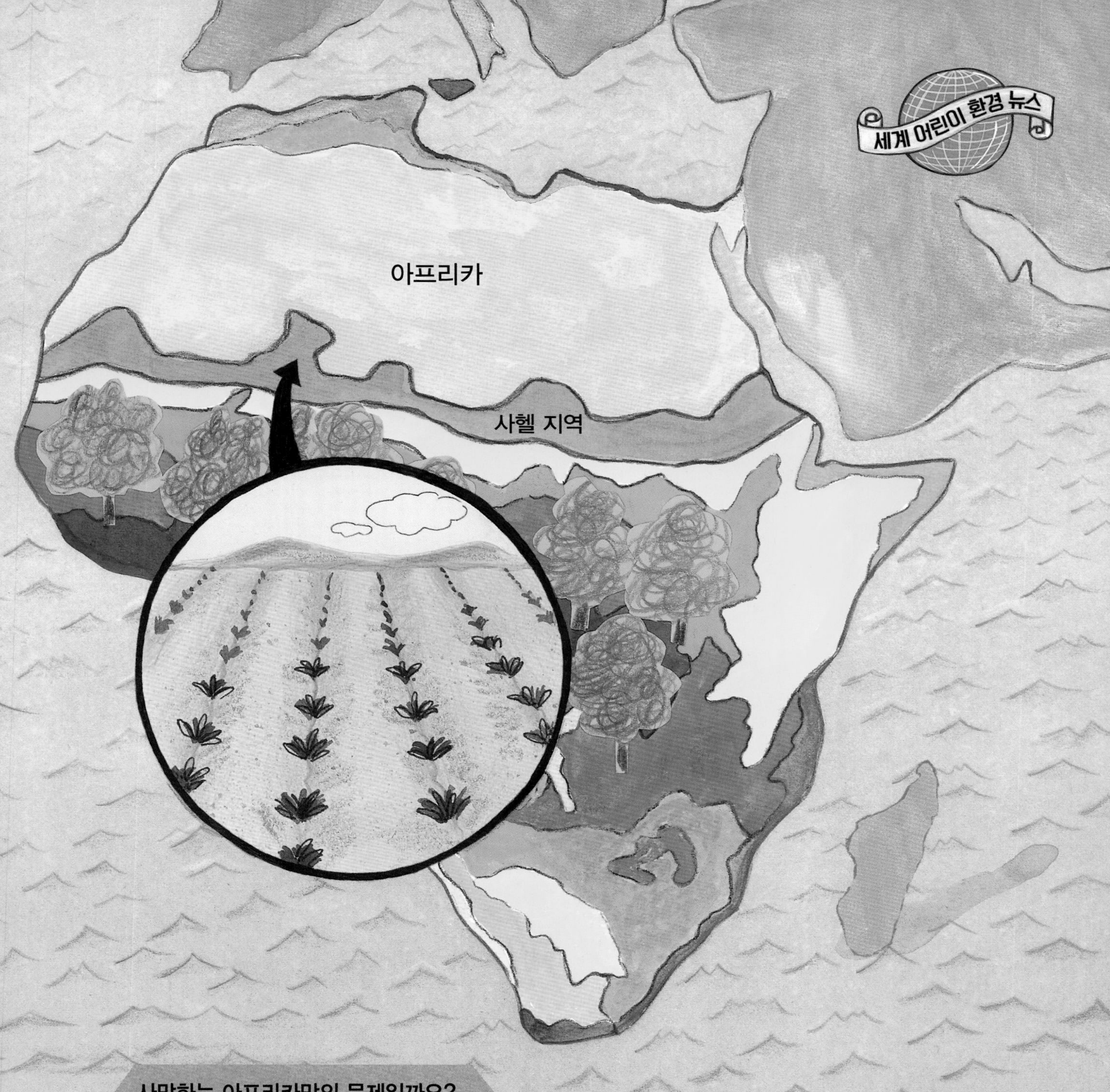

사막화는 아프리카만의 문제일까요?

식량 부족과 물 부족 등 제2의 재앙을 불러올 사막화는 우리가 해결해야 할 가장 큰 환경 문제 가운데 하나예요. 아프리카뿐 아니라 아시아에서는 중국, 몽골, 파키스탄의 사막 지대, 시리아의 사구, 네팔과 라오스의 산악 지대 등에 사막화가 심해지고 있고, 콜롬비아와 베네수엘라, 에콰도르 등 중남미 지역의 4분의 1이 사막 및 건조 지역이라고 합니다.

몽골 고비 사막의 사막화

이번에는 브라질로 가 보겠습니다.
파울로 기자, 나와 주세요!

“저는 지금 아마존 숲에 나와 있습니다.
우리가 지구의 허파라고 부르는 아마존 숲이
점점 사라지고 있습니다.
아마존 숲은 아홉 개 나라에 걸쳐 있는데
그 가운데 40퍼센트(%)가 브라질 영토에 속해 있습니다.

브라질은 무한한 자원을 가진 숲의 대륙이지만
브라질 정부에서 도시를 만들고,
숲을 가로지르는 도로를 건설하는 등
개발에 지나친 욕심을 부려 아마존 숲을 사라지게 하고 있습니다.
이 때문에 생물 다양성이 가장 풍부한 아마존에서는
해마다 6천 종이 넘는 동물과 식물이 사라지고 있습니다.
숲이 사라져 생물들이 살 곳을 잃고 생태계는 파괴되고 있는 것입니다."

생태계가 파괴되면 사람들의 생활도 결코 안전할 수는 없습니다.
브라질 / 파울로 기자

세계 어린이 환경 뉴스
파울로 기자가 소식을
전하는 도중에 속보가 들어왔군요.
올라 기자, 속보를 전해 주세요.
속보!!
속보를 전해 드리겠습니다.
저는 지금 아마존 숲에
나와 있습니다.
브라질 / 올라 기자

"지금 이곳은 불길이 치솟고 있습니다.
농부 한 분이 숲에 불을 지르고 있는데요,
이렇게 숲을 태워 만든 밭을 화전이라고 합니다.
해마다 서울의 아홉 배만 한 숲이 화전으로 없어지고 있습니다.
하지만 화전은 3년만 쓰고 나면 식물이 자라지 않는
쓸모없는 땅이 되어 버린다는 게 큰 문제입니다."

아마존은 왜 '지구의 허파'라고 불릴까요?

잎이 넓은 활엽수가 밀림을 이루고 있는 아마존의 열대 우림 식물들은 왕성한 광합성 작용으로 인간이 만들어 내는 엄청난 양의 이산화 탄소와 오염 물질을 걸러 내는 일을 해요. 뿐만 아니라 지구 전체 산소 양의 4분의 1을 생산해 내는 중요한 역할을 하여 지구의 허파라고 불리지요.

아마존 열대 우림

김희찬 앵커가 걱정이 가득한 표정으로 말했어요.
"지금처럼 숲이 파괴된다면
50년 뒤에는 아마존이 사라질지도 모른다고 합니다.
이 문제와 관련하여 김준서 환경 전문 기자와 함께
이야기를 나누어 보겠습니다.
김준서 기자, 아마존을 지킬 수 있는 방법은 없을까요?"
"브라질 정부와 기업에서는 아마존을 지키기 위해
'아마존 보호 기금'을 모으고 삼림 보호 구역을 지정하고,
최근에는 브라질 환경청에서 아마존 타파조스 강에
건설될 계획이었던 초대형 댐 건설 허가를 취소하면서
아마존을 지키려는 노력에 힘을 보태고 있습니다."

아마존을 지키기 위해
국제 사회는 어떤
노력을 하고 있나요?
대한민국 / 김희찬 앵커

세계 어린이 환경 뉴스
아마존 보호 기금
유엔 환경 계획(UNEP)에서 '아마존 살리기' 운동을 벌여 삼림 파괴율이 줄어들기도 했습니다.
대한민국 / 김준서 환경 전문 기자

이번에는 그린란드의 스밀라 기자를 연결해 보겠습니다.

"그린란드에 오면 이글루에서 잠을 자고,
두꺼운 얼음을 볼 수 있을 거라 생각하실 텐데요,
그 같은 기대와는 달리 몇 년 전부터 날씨가 따뜻해져서
빙하가 자꾸 녹아 북극곰이 영영 사라질까 봐 걱정입니다."
"이 모든 것이 지구 온난화 때문인가요?"
김희찬 앵커가 물었어요.

이제 그린란드에서는 언제나 눈썰매를 타고 어디서나 빙하를 볼 수는 없게 되었습니다.
그린란드 / 스밀라 기자

“네, 그렇습니다. 지구 온난화가 심해지면서
여름이 빨리 찾아온 탓에 북극곰들은 단단한 얼음 위에서
사냥할 수 있는 시간이 크게 줄어 먹이를 찾지 못하고
굶어 죽거나 사냥에 나섰다 물에 빠져 죽기도 합니다.
이대로 시간이 지나면 얼마 지나지 않아
극지 동물들이 멸종 위기에 처할 것으로 보입니다.”

지구 온난화란 무엇일까요?

지구 온난화란 여러 가지 환경 파괴 때문에 지구의 평균 기온이 올라가는 것을 말해요. 지구의 대기는 기온이 일정하게 유지되도록 도움을 주지요. 그런데 환경 오염으로 대기 중에 이산화 탄소, 메테인 같은 온실 가스가 많이 늘어나 태양에서 지구로 오는 열에너지가 빠져나가지 못하게 온실의 비닐 같은 역할을 해서 지구의 평균 기온이 자꾸 올라가게 된 거예요.

"지구 온난화가 심해지면서 지구의 평균 기온이 올라서 그렇군요.
자, 이 문제에 대해 환경 과학자 나현명 박사님의 얘기를 들어 보겠습니다.
박사님, 지구 온난화로 북극곰이 사라질 수도 있다고 하는데요,
지구 온난화를 줄이기 위해 어떤 노력을 하고 있나요?"
"지구 온난화를 줄이려면 이산화 탄소, 메테인 같은
온실 가스의 양을 줄이는 것이 가장 큰 과제입니다.
세계 40여 개 나라가 교토 의정서를 통해 온실 가스 배출량을
조금씩 줄이는 것을 목표로 노력하고 있습니다.
지구 온난화 문제는 전 세계적으로 많은 사람이 알고 있고,
온실 가스를 줄이려는 개인적인 노력도 많이 하고 있습니다."
"지구 온난화를 막기 위한 모두의 노력이 헛되지 않기를 바랍니다."

그렇다면 생활 속에서
온실 가스의 양을
줄이기 위한 방법은
무엇이 있을까요?
대한민국 / 김희찬 앵커

세계 어린이 환경 뉴스
자동차를 덜 타고,
가전제품을 적게
사용하면
온실 가스의 양을
줄일 수 있습니다.
대한민국 / 나현명 환경 과학자

마지막으로 미국의 한 쓰레기 섬에 나가 있는
타일러 기자를 연결해 보겠습니다.

"안녕하세요? 타일러 기자입니다.
저는 지금 하와이 북쪽의 쓰레기 섬 근처에 나와 있습니다.
말 그대로 바닷물에 쓸려 온 쓰레기 더미가 모여서 섬을 이룬 것인데요.
이 쓰레기 섬은 한반도의 여섯 배나 되는 엄청난 크기입니다."
"그렇게나 큰가요?"
김희찬 앵커가 깜짝 놀라서 다시 물었어요.
그때 타일러 기자가 쓰레기 하나를 건져 들고 말했어요.
"섬에는 쓰고 버린 플라스틱 그릇과 장난감들이
잔뜩 쌓여 있습니다. 더 큰 문제는 바다에 사는
물고기나 새들이 이 쓰레기들을 먹이로 착각해 먹었다가
죽는 일이 많아졌다는 것입니다."

세계 어린이 환경 뉴스
주변 지역 물고기를 조사한 결과
꽤 많은 물고기 배 속에서
아주 작은 플라스틱이
발견되었다고 합니다.
미국 / 타일러 기자

쓰레기 양이 정말 엄청나군요.
쓰레기 섬 문제를 위한 해결 방법이 있습니까?

"쓰레기 섬을 없애기 위해 노력하는 곳이 있습니다.
네덜란드의 '오션 클린업'이라는 곳에서
쓰레기를 치우는 좋은 방법을 생각해 냈습니다.
배를 타고 바다 위에 둥둥 떠다니는 쓰레기를 치우면
시간과 돈이 많이 드는데요, 오션 클린업에서는 바다에 아주 커다란
울타리를 세워 바닷물의 흐름에 따라 움직이는 쓰레기가
울타리에 저절로 모이게 한 다음, 한꺼번에 치우는 방법을 사용했습니다.
이 방법대로 하면 돈도 적게 들고,
쓰레기도 훨씬 더 많이 치울 수 있다고 합니다."

쓰레기 문제를 해결하려면
가장 먼저 쓰레기 양을 줄이고,
분리수거와 재활용을
잘하는 것이 중요합니다.

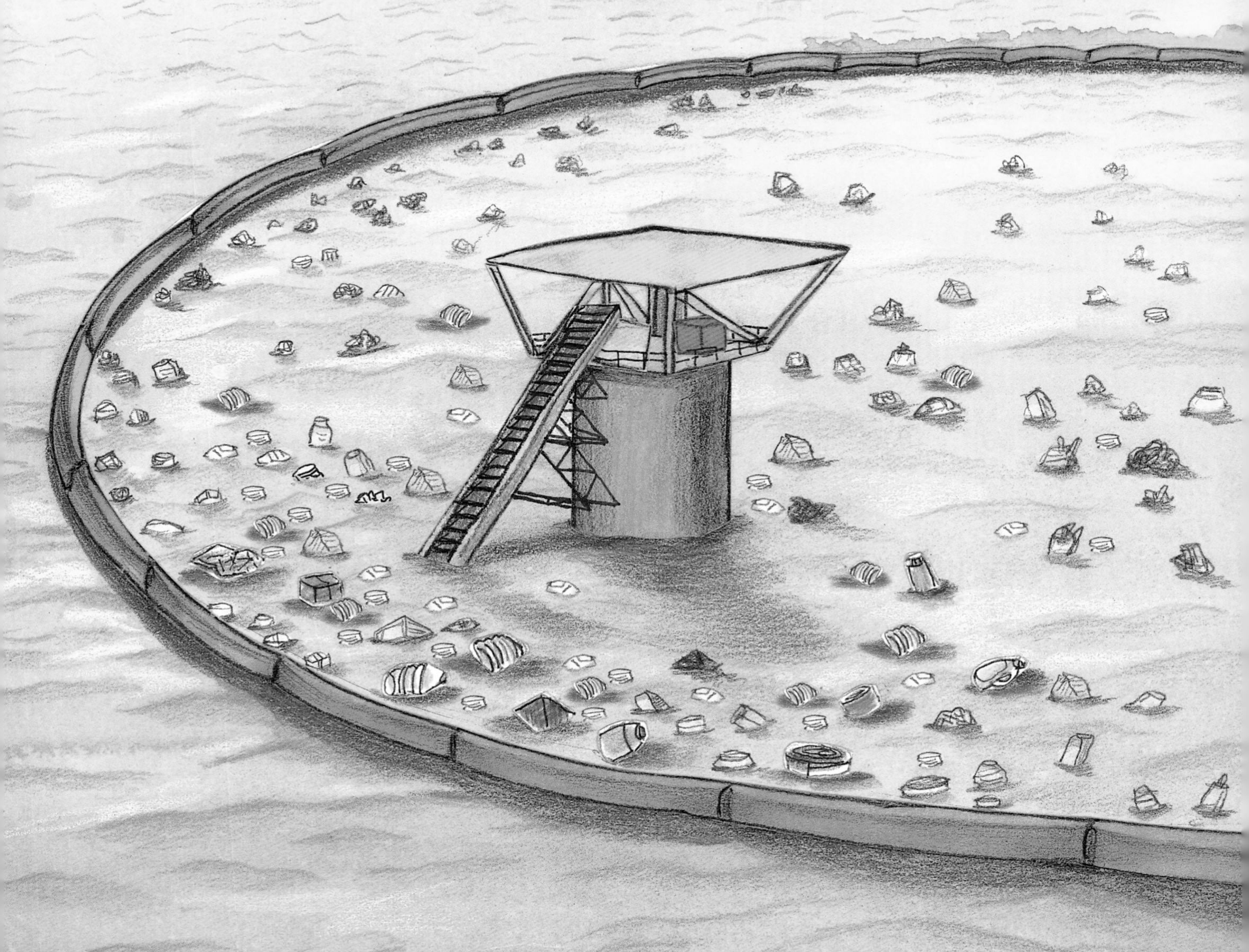

오션 클린업은 어떻게 쓰레기를 모을까요?

북태평양의 해류는 시계 방향으로 깊고 천천히 흘러요. 그 특성을 이용해 길이 100킬로미터(km), 높이 3미터(m) 정도 되는 울타리를 설치해서, 해양 생물들은 울타리 아래로 빠져나가고, 떠다니는 쓰레기는 한곳으로 모이게 설계했습니다.

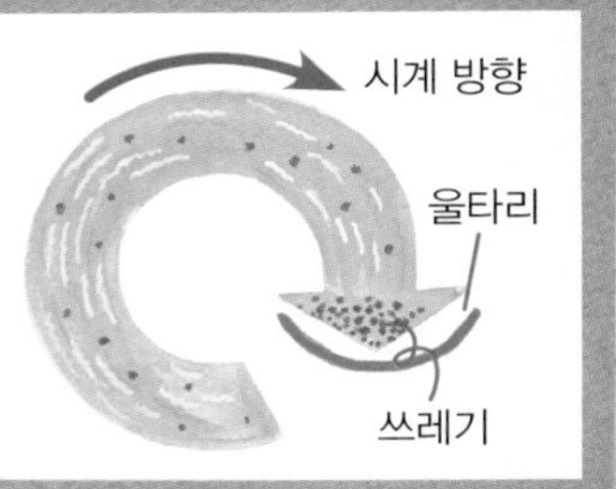

"저는 강원도 평창 국제 회의장 앞에 나와 있습니다.
조금 뒤 이곳에서는 미국, 프랑스, 일본 등 세계 50여 개 나라의 대표들이
생물 다양성을 지키려는 약속을 맺기 위해 회의를 진행할 예정입니다.
회의장에 들어가 보겠습니다."

생물 다양성 협약에서 추진하기로 한 여섯 가지 전략

첫 번째,

국가가 생물 다양성 보전에 앞장서고 국민의 참여와 인식을 높일 것.

두 번째,

생물 다양성 보전을 위해 서식지를 보호하고 연구를 추진할 것.

세 번째,

생물 다양성을 위협하는 외래 생물 관리를 강화하고, 기후 변화와 개발로 인한 영향을 줄일 것.

네 번째,

생태계가 제공하는 유익한 자원을 더 많이 이용할 것.

다섯 번째,

생물 다양성에 관한 연구를 확대하고, 전문가를 기르고, 법률을 정할 것.

여섯 번째,

생물 다양성 보전을 위한 국제적 노력과 협력을 강화할 것.

이번 회의에서 추진하기로 한 전략을 함께 살펴보시죠!

"생물 다양성 협약에서는 각 나라뿐 아니라
기업, 단체, 시민들 모두가 노력할 것을 약속했습니다."
"조영지 기자, 수고했습니다.
지구의 환경을 풍요롭게 만들어 주는 것은
다름 아닌 동물과 식물 같은 생물입니다.
생물 다양성은 사람이 살아가는 데 있어
꼭 필요한 요소이지만, 생물 다양성을 파괴하는
주범 역시 바로 사람입니다.
생물 다양성 보호를 위해 사람이 할 수 있는
의미 있는 일이 무엇인지 생각해 보며 오늘의 뉴스를 마칩니다."

생물 다양성을 보호하기 위해 어린이들이 할 수 있는 일은 무엇이 있을까요?

에어컨 사용을 줄이고 선풍기를 사용해 에너지를 절약해요.

대중교통을 이용해요.

쓰레기를 분리하고 재활용해요.

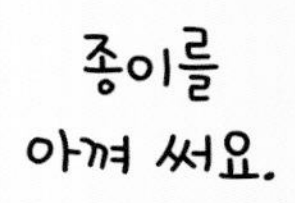

환경 보호를 위해 모두가 노력해요

우리는 지구에 살고 있어요. 지구는 우리에게 땅과 물, 공기를 아낌없이 나눠 주고 있지요. 그런데 사람들이 지구를 아끼지 않아서 지구가 병들고 있어요. 아파하는 지구를 위해 과학자와 환경 전문가들이 나섰어요. 지구를 위한 일은 이제 우리 모두의 노력이 필요해요.

국제 사회가 함께 노력하고 있어요

지구 환경의 심각성을 깨달은 세계 여러 나라는 1972년 스웨덴의 스톡홀름에서 처음으로 환경 관련 국제회의인 '유엔 인간 환경 회의'를 열었어요. 유엔은 이 회의가 열린 6월 5일을 기념하여 '세계 환경의 날'을 만들었어요. 그리고 지금까지 많은 노력을 하고 있어요.

1992년

브라질의 리우데자네이루에서 '유엔 환경 개발 회의'가 열렸어요. 지구 온난화를 줄이고 생물을 보호하기 위한 여러 약속을 했답니다. 그러나 나라마다 입장 차이가 있어 눈에 띄는 노력이 이루어지지는 않았어요.

1997년

미국, 유럽, 일본 등 자동차와 공장 등이 많은 38개 부자 나라에서 온실 가스 줄이기를 실천하기로 한 '교토 의정서'가 마련되었어요.

2009년

'코펜하겐 기후 변화 회의'가 열렸어요. 온실 가스를 줄이는 방법을 상세하게 의논했지만, 나라들끼리 약속을 정하지는 못했어요.

2015년

지구 평균 온도 상승을 산업화 이전과 비교해 2도(℃)보다 낮게 유지하려는 목표를 세웠어요. 우리나라도 이산화탄소 배출을 줄이겠다는 약속을 했어요.

생물 다양성 과학 기구(IPBES)란 어떤 곳인가요?

생물 다양성 과학 기구(IPBES)는 2012년 4월에 유엔에서 생물 다양성과 생태계 서비스에 관한 과학적 연구와 정책을 만들고, 나라마다 정책을 실천하는 일을 도와주기 위해 만든 국제기구예요. 생물 다양성 과학 기구는 생태계 서비스를 제대로 평가하고 지키기 위한 연구를 하는 것은 물론, 각 나라에 과학적 정보를 제공해 생물들의 멸종을 막는 정책을 마련할 수 있도록 도와줍니다. 우리나라의 국립생태원도 생물 다양성 과학 기구에 참가하여 생물 다양성을 보전하는 법, 생태계 서비스를 평가하는 법, 생태계를 지키는 법 등을 연구하고 있어요. 생물 다양성을 보전하는 것은 결국 식량 문제나 건강 증진과 같이 인류가 살아가는 데 큰 도움을 주기 때문에 무척 중요한 일이랍니다.

생물 다양성 협약(CBD)은 무엇인가요?

생물 다양성 협약(CBD)은 세계 여러 나라가 모여 지구의 모든 생물들을 보호하기 위해 맺은 약속이에요. 여기에서 말하는 지구의 모든 생물들은 이 생물들이 살아가는 생태계, 생물이 지닌 유전자를 포함합니다. 약 200여 년 전부터 지구에 사는 생물들이 사라져 가는 속도가 그 이전에 비해 50~100배 빨라졌어요. 그래서 전 세계가 함께 생물들을 보호하기 위해 '생물 다양성 협약'이라는 약속을 했지요. 우리나라는 154번째 회원국으로, 2014년 우리나라 평창에서 열린 당사국 총회에서 한국이 제안한 평화와 생물 다양성 이야기를 담은 강원 선언문이 채택되기도 했답니다.

생물 다양성을
지키려면 환경 보호가
가장 중요해!

어린이들도 환경 회의를 열어요

'세계 어린이·청소년 환경 회의'의 이름인 '툰자(TUNZA)'는 아프리카 스와힐리 말로 '배려와 애정으로 대하기'란 뜻이에요. 툰자 세계 어린이·청소년 환경 회의는 유엔 환경 계획(UNEP)이 주최하는 세계적 환경 회의예요. 전 세계의 10~14세의 어린이들이 환경에 대해 토론하고 배우는 회의로 1995년 영국에서 처음 열렸어요. 그 뒤로 2003년부터 짝수 해는 어린이, 홀수 해는 청소년 회의를 열었는데, 2009년에는 두 행사가 통합되어 우리나라 대전에서 열리기도 했답니다. 2009년 툰자 회의에서 독일의 초등학생 핑크바이너 남매는 100만 그루 나무 심기 운동을 벌였어요. 노르웨이의 하우그란드 군은 5킬로미터(km) 거리의 학교를 걸어서 다니는 '학교에 걸어가자' 프로젝트를 친구들과 함께 해 나가고 있어요. 어린이들도 환경 보호를 위해 노력하는 한, 지구 환경은 점점 깨끗해지겠지요?

마스다르의 송풍탑

쓰레기, 자동차, 탄소 방귀가 없는 '마스다르'

아랍에미리트라는 나라에는 사막 한복판에 친환경 도시 '마스다르'가 있어요. 마스다르를 움직이는 에너지는 모두 태양 에너지예요. 어마어마한 넓이의 태양광 발전소가 석유와 가스 같은 화석 연료 대신 태양열 에너지를 만들고, 모든 건물 지붕에는 태양광을 모으는 집열판이 있습니다. 태양을 이용하고도 모자라는 에너지는 풍력, 폐기물 발전 등을 통해 만들어 내요. 마스다르를 방문하려면 기름을 사용하는 자동차를 도시 근처 주차장에 세워 놓아야 해요. 그러고 나서 태양 에너지로 얻은 전기를 사용하여 움직이는 자동차를 타고 도시에 들어가야 합니다. 또 도시에서 나온 쓰레기는 모두 재활용되거나 다른 에너지로 만들어져서 쓰레기를 찾아보기 힘들지요. 이러한 이유로 마스다르는 쓰레기, 자동차, 탄소 방귀가 없는 세계 최초의 도시로 알려졌답니다.

탄소 배출권 거래에 대해 알아보아요

탄소 배출권은 지구 온난화의 주범인 여섯 개의 온실 가스를 배출할 수 있는 권리를 말해요. 나라마다 배출할 수 있는 온실 가스의 양이 정해져 있기 때문에 온실 가스를 줄이려는 노력을 해야 하지요. 그래서 탄소 배출권을 가져야 하는 기업이나 나라는 에너지를 아끼는 방법을 찾거나, 온실 가스를 내뿜지 않는 깨끗한 기술을 개발하는 방법으로 배출량 자체를 줄이기도 하고, 여유 있게 배출권을 가지고 있는 다른 기업이나 나라로부터 배출권을 사기도 하는데 이를 탄소 배출권 거래라고 해요. 우리나라도 2015년부터 탄소 배출권 거래를 시작했습니다.

에코뱅크를 아시나요?

우리나라 안과 밖에 흩어져 있는 모든 종류의 생태(생물, 무생물 정보 포함), 환경, 공간 정보를 모두 관리하고, 이것을 필요로 하는 연구자에게 제공할 수 있는 정보 시스템을 에코뱅크라고 해요. 국립생태원에서 2014년부터 개발해서 만들고 있지요. 특히 지구 온난화, 환경 오염 등 전 세계적인 연구를 위해서는 다양한 지역과 나라들의 폭넓은 자료가 필요한데, 에코뱅크를 통해 필요한 자료를 손쉽게 얻을 수 있을 것으로 기대하고 있어요. 그렇게 되면 환경을 연구하는 데 드는 시간과 돈을 절약할 수 있고, 많은 자료가 있어서 정확한 연구가 이루어질 수 있어요.

깨끗한 지구를 위해
모두 노력하는구나!

국립생태원이 들려주는 에코스토리

01 **전국 자연환경 조사**
나는 독도의 마스코트

02 **기후 변화 연구**
빙글빙글 물방울의 여행

03 **생명 공학 연구**
황금쌀과 슈퍼 연어의 비밀

04 **외래 생물 관리**
하늘천의 무법자 블루길

05 **생태계 연구**
금개구리 왕눈이의 모험

06 **생체 모방 연구**
호기심쟁이 수현이와 발명가 삼촌

07 **생물 다양성 협력**
와글와글 세계 어린이 환경 뉴스

08 **생태계 서비스 연구**
자연이 주는 선물

09 **멸종 위기종 관리**
아슬아슬 사라지는 동물

10 **지역 생태 협력**
철새들의 천국 서천 유부도

11 **식물 관리**
무럭무럭 쑥쑥 식물 성장의 비밀

12 **동물 관리**
한밤중 동물 친구들에게 생긴 일

13 **생태 교육**
푸른이의 두근두근 생태 교실

14 **생물 복원**
다시 만날 동식물 친구들

15 **에코뱅크**
신나는 생태 지도 만들기